ISBN 978-2-211-06480-4

Première édition dans la collection *Lutin poche* : octobre 2001
© 1998, l'école des loisirs, Paris
Loi numéro 49 956 du 16 juillet 1949 sur les publications
destinées à la jeunesse : novembre 1998
Dépôt légal : octobre 2007
Imprimé en France par Aubin Imprimeur à Poitiers

Jeanne Ashbé

Cher Père Noël

lutin poche de l'école des loisirs
11, rue de Sèvres, Paris 6e

Chaque nuit dans mon lit,
je me dis que j'aimerais,
top secret,
aller te voir
tout là-haut, tout là-bas.

Je suis petit.
Je te ferais zéro ennui.
Tu dirais:
"1, 2, 3 ! C'est parti !"

Et vvvvvvvjjjj...
Haut, haut,
dans le ciel,
sur ton bonnet,
Père Noël.

Un pépin en chemin ?
Je te donne
un petit coup de main.
Cri cra crin.

Zoupla !
En toboggan
sur ta barbe,
je glisse sur le toit.

Mais... pour descendre
dans la cheminée,
Père Noël, j'ai une idée:
je me blottis
dans ta poche...

Ou plutôt, non !
Attends !
Je m'accroche
à tes moustaches !
Boum !!!

Bien sûr,
je t'aiderais
à distribuer
les bonbons
et les jouets.

Et si tu t'endormais,
moi, je veillerais.
Je ferais un parfait
Père Noël-sitter.

Mais, Père Noël,
si tu es trop occupé
cette année,
on peut le faire
une autre fois...

Je prépare des biscuits,
du thé et je t'attends.

Car je sais bien, Père Noël,
que tu choisiras pour moi
le plus beau
de tous les cadeaux !